Le chaton

Textes de Natacha Fradin
Photos de l'agence Arioko

1, 2, 3… En moyenne, il y a 4 chatons dans une portée !

Bienvenue, petite boule de poils aux yeux encore fermés !

Quelle super-maman ! La chatte transporte son petit...

... et le toilette à grands coups de langue râpeuse.

Poussez pas ! Chacun aura une des 8 mamelles pour téter

Dès 1 mois, le chaton peut laper un peu de lait frais.

Miaou ! Le chaton dit sa faim ou sa peur en miaulant.

Il adore aussi jouer. Et si cet oiseau était un vrai ?

En dressant la queue, petit chat montre qu'il est content.

Grr, regarde celui-là avec son poil hérissé ! Il est fâché.

Lumière, obscurité... rien ne gêne la super-vue du chaton !

Sous ses pattes de velours, il cache des griffes acérées.

Sais-tu que le chaton est un félin ? Le lion est son cousin.

Insectes, oiseaux... il attaque tout ce qui bouge !

Patient, il sait attendre longtemps pour pêcher un poisson

Mais la souris ou le mulot sont plus faciles à attraper !

Oh, le drôle de chaton ! C'est un rex devon au poil ras.

Et ce skogkatt à l'épaisse fourrure ! Il vient du froid.

Regarde comme le chaton grimpe haut ! Quel acrobate !